카혼
교재

이 책을 보는 모든 사람에게

내가 어떤 음악을 하고 싶은지, 그리고 그 음악에 어울리는 리듬이 무엇인지를 고민하면서, 나와 듣는 사람들이 모두 만족할 수 있는 음악을 만드는 것이 내 목표이다. 이런 음악을 좋아하는 사람들과 함께 나누고자 이 교재를 썼다.

사용한 리듬의 대부분은 드럼 리듬을 바탕으로 만들었으며, 콩가와 젬베, 그리고 핸드 퍼커션의 다양한 주법과 리듬을 참고했다. 이 교재에는 나만의 음악 해석과 풀이가 담겨 있으니, 너그럽게 이해해 주기를 바란다.

카혼은 스페인어로 "상자"라는 말이다

18세기 남미, 극심한 노동으로 힘들어했던 노예들에게 춤과 노래는 그들의 유일한 탈출구였다. 변변한 악기가 없었던 그들은 쉽게 어디서나 볼 수 있는 물건들로 연주하기 시작했다. 그것은 누군가에게 잠시 쉬어가는 작고 허름한 나무 의자였을지 모른다. 그것은 무언가를 올려놓기 위한 테이블이나 소중한 물건을 넣어두는 보관함이었을 수도 있다. 딱히 그럴듯한 이름도 없이 그저 "상자"라고 불리던 악기. 어려운 시절, 변변치 못한 식재료로 만들어 먹었던 음식을 소울푸드라고 한다면, "카혼"이야말로 그들에게 소울악기가 아니었을까?

우리는 어떻게 연습해야 하는가?

탬포는 신호(signal)가 아닌 싸이클 (cycle)이다

음악을 시작하는 사람들 중 많은 사람들이 매트로놈 연습을 어려워합니다. 이유는 매트로놈을 사이클(cycle)이 아닌 시그널(signal)로 이해하기 때문입니다. 매트로놈에서 나오는 각각의 소리에 하나하나 음표를 맞춰 연주하는 것은 매우 불안하게 들립니다.

도망가는 소를 잡기 위해 밧줄을 머리 위로 흔들며 달리는 카우보이를 본 적이 있으신가요? 카우보이는 절대 가만히 서서 달리는 소를 잡지 않습니다. 달리는 소에 속도를 맞추어 달리면서 밧줄을 던집니다. 밧줄을 잘 던지는 것보다 중요한 것은 달리는 소와 속도를 맞추는 것입니다. 음악도 이와 같습니다. 밧줄을 던지기 전에 달리는 소와 속도를 맞춰야 합니다.

우리의 몸은 생각만큼 느리게 반응합니다. 뇌에서 근육에 신호를 보내고 그 신호를 근육이 받아 몸을 움직이는 그 찰나의 시간조차 음악에서는 치명적인 시간적 딜레이가 될 수 있습니다. 그렇기 때문에 우리의 몸은 음악보다 조금 더 일찍 움직여야 합니다. 음악은 우리를 기다려주지 않습니다. 우리의 컨디션과 실수를 이해하거나 받아들이지 않습니다.

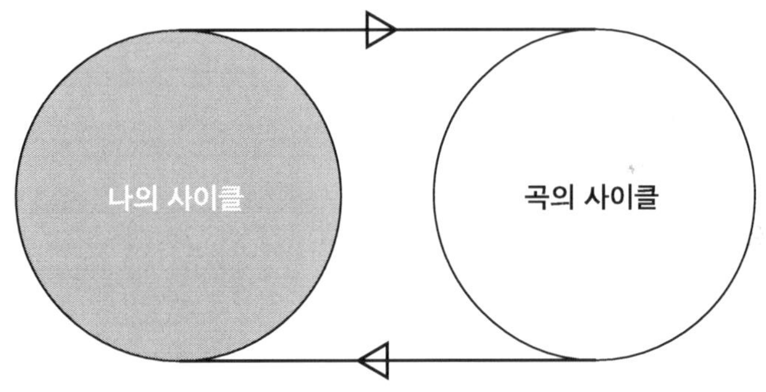

쉼표도 연주해야 한다

한 번 시동을 건 자동차는 목적지에 도착할 때까지 엔진을 끄지 않습니다. 중간에 잠시 차가 스더라도 엔진은 계속 돌아가야 제때에 출발할 수 있습니다. 마찬가지로 연주자도 곡이 끝날 때까지 연주를 멈춰서는 안됩니다. 중간에 쉬는 마디나 쉼표가 있더라도 우리는 계속해서 연주해야 합니다. 그래야 정확한 타이밍을 맞출 수 있습니다. (사실 쉼표를 정말로 쉬기 때문에 틀리는 경우가 많습니다.)

그럼 어떻게 쉬지 않고 할 수 있을까요? 연주에 방해가 되지 않는 선에서 몸의 한 부분을 계속해서 움직이면 됩니다. 그것이 4분음표든 8분음표든 상관없이 매트로놈에 맞춰 연주하고 있어야 합니다.

한 번은 영상에서 에릭 클랩튼의 공연을 본 적이 있습니다. 의자에 앉아 기타를 치며 노래하는 그의 모습은 정말 멋있습니다. 그런데 한 가지 보기에 방해(?)가 되는 것은 그의 발입니다. 심하게 발을 땅에 차며 연주하는데 왜 그렇게 하는 걸까요? 에릭 클랩튼의 이러한 행동은 자신의 연주를 멈추지 않고 템포를 잡고자 하는 노력입니다.

매트로놈 없이 아무것도 하지말라

길이를 재는 자의 기준은 절대적입니다. 이 기준이 없다면 길이를 표현하는 방법은 무의미해집니다. 마찬가지로 곡의 기준을 잡는 탬포도 절대적입니다. 이 기준이 없다면 곡의 탬포가 정해지지 않습니다. 그만큼 탬포는 중요합니다. 연습하시는 것이 무엇이든 기준을 잡는 것이 중요합니다. 아쉽게도 우리는 인간이기에 절대적인 기준을 잡을 수 없습니다. 느려지거나 빨라질 수밖에 없습니다.

유명한 연주자들도 공연 때는 매트로놈이 필수입니다. 무엇을 연습하든지 매트로놈과 함께 해야 합니다. 음악 대신 매트로놈을 듣고 모든 행동을 정확한 탬포에 맞춰 움직여 보세요. 우리는 기계가 아니지만 기계처럼 움직여야 합니다.

"그럼 너무 기계적이지 않나요? 음악은 자유로워야 하는데…" 이렇게 말하는 사람들이 있습니다. 맞는 말이긴 하지만, 타악기를 다룰 때는 조금 다르게 생각해야 합니다. 정확성이 생명이기 때문에 과하게 들리는 것처럼 기계적으로 연주하는 것이 중요합니다. 조금 과장되었을 수 있지만, 리듬악기는 매트로놈과 같다고 생각하는 것이 오히려 도움이 됩니다.

한 번 드럼을 가르치던 제자가 밴드 동호회에서 공연을 준비하고 있다고 했습니다. 그래서 나는 그에게 "다른 것들은 듣지 말고 오직 매트로놈만 들고 연주하라"고 했습니다. 그 말을 듣고 그는 양쪽에 이어폰을 꽂고 연주 끝까지 매트로놈만 들으면서 정확한 탬포를 밴드와 청중들에게 제시한 후 무대에서 내려왔습니다. 모든 공연이 끝나고 다른 밴드의 드러머가 그에게 찾아와 "오늘 연주 중 가장 좋았다"라고 그에게 말했습니다.

타악기의 가장 중요한 것은 정확한 탬포를 자신의 밴드와 청중들에게 공유하는 것입니다. 정확한 탬포는 사람들에게 리듬감을 느끼게 하고 댄서들은 춤을, 노래하는 사람들은 노래를 하게 만듭니다.

“진리가 너희를 자유롭게 하리라”라는 말처럼, 진리 안에서 우리는 자유를 누릴 수 있습니다. 진리가 없는 자유는 방종에 불과합니다. “탬포가 너희를 자유롭게 하리라” 정확한 탬포 안에서 우리는 더 자유롭게 연주할 수 있습니다. 이것을 명심하고, 다시 한 번 명심합시다.

Contents

카혼 교재

카혼
교재
임채성 지음
드럼센터TV

1.카혼의 소리와 연주 위치

베이스

슬랩

뮤트

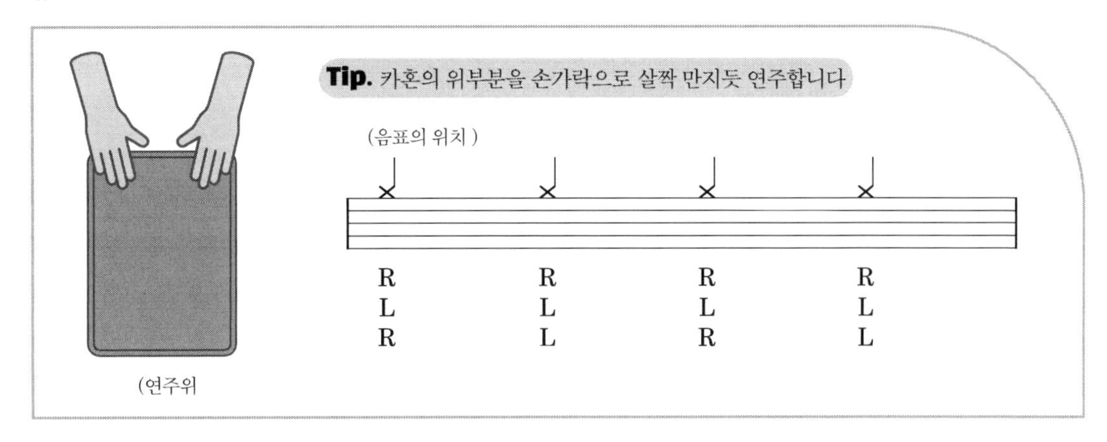

2.내 몸에 사이클 만들기

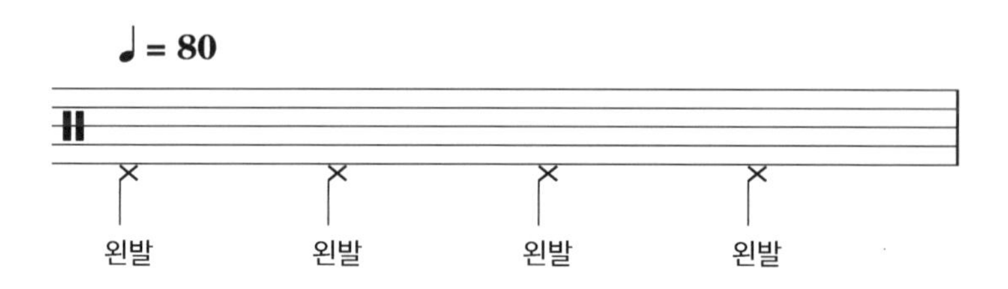

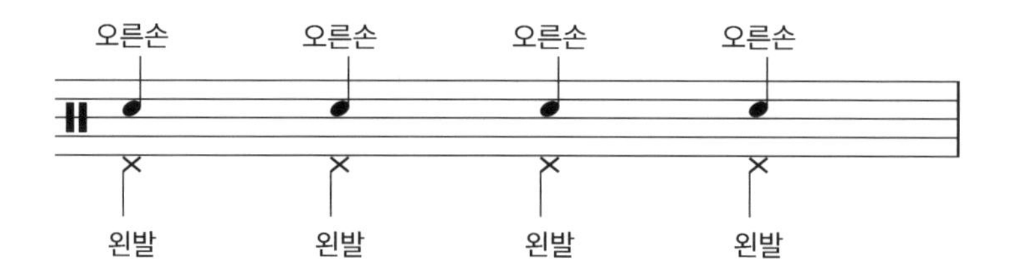

Tip. 왼손 보다 오른손과 왼발이 중심을 잡고 있어야 합니다

Tip. R= 오른손 L=왼손

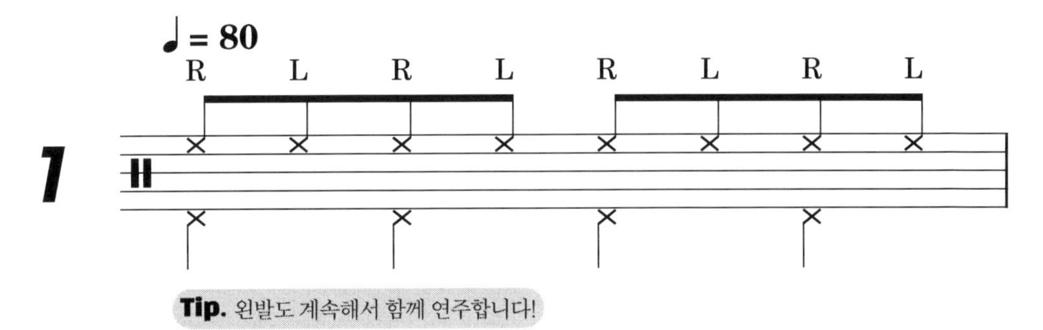

Tip. 왼발도 계속해서 함께 연주합니다!

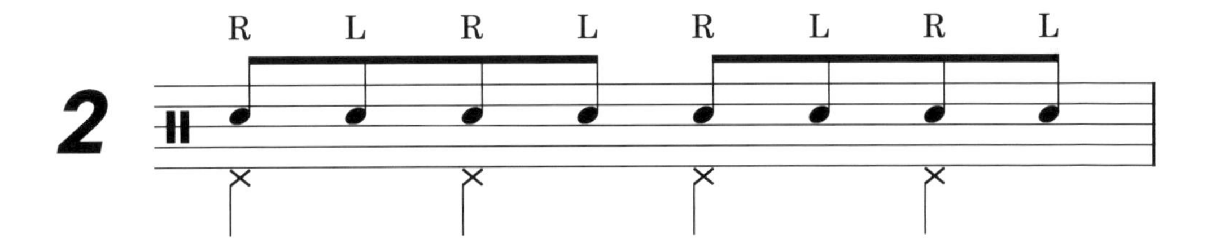

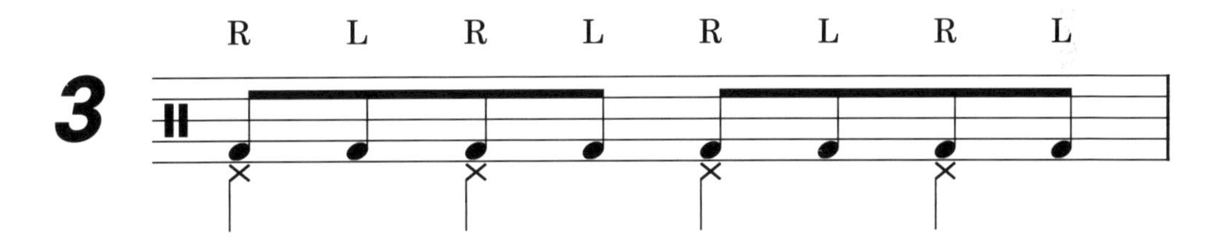

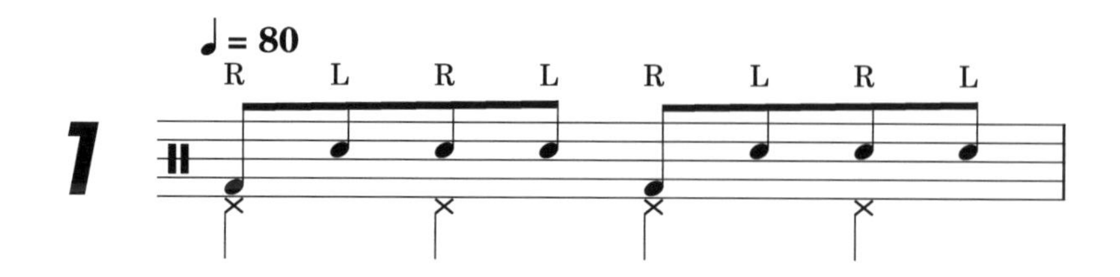
= 80
R L R L R L R L
1

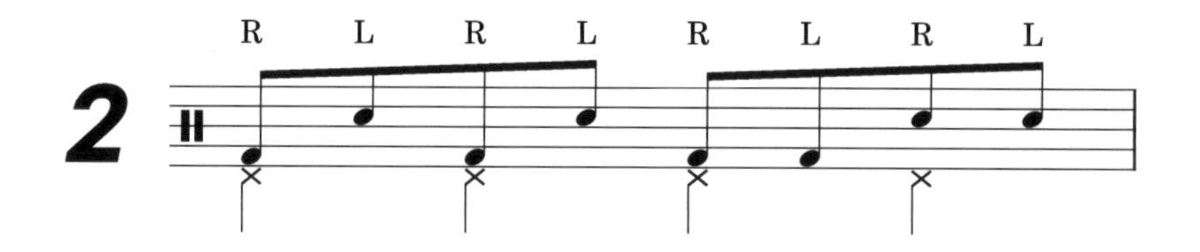
R L R L R L R L
2

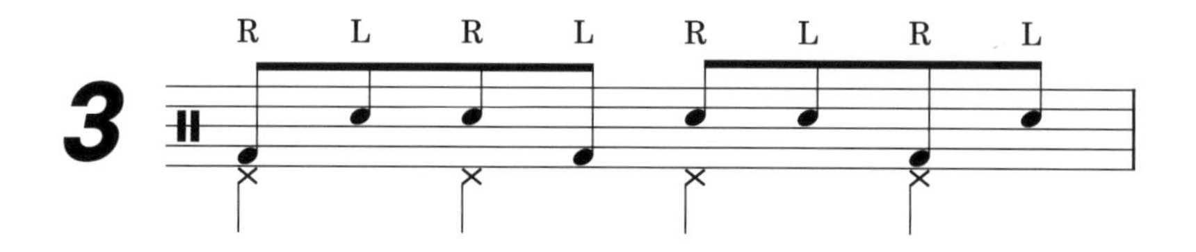
R L R L R L R L
3

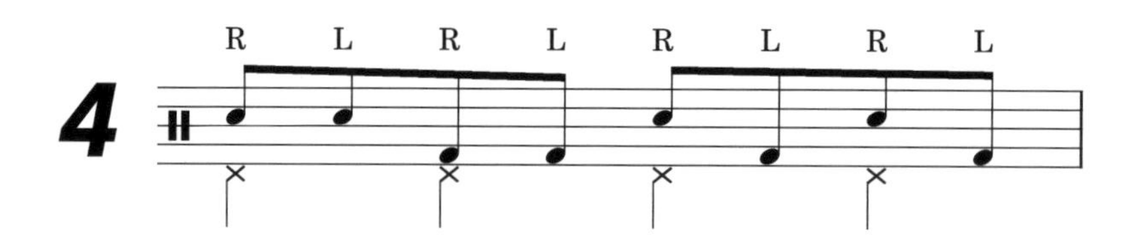
R L R L R L R L
4

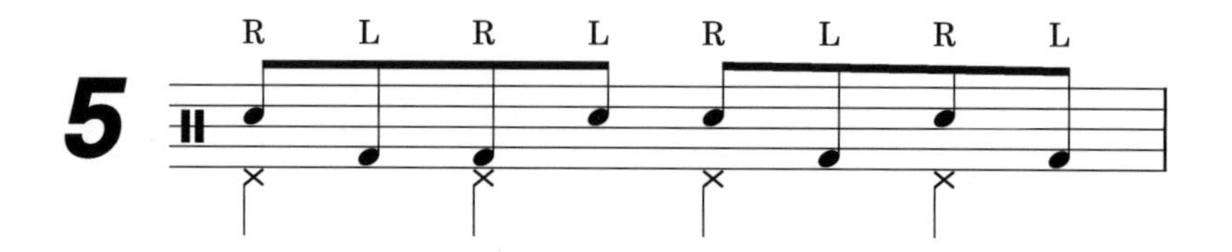
R L R L R L R L
5

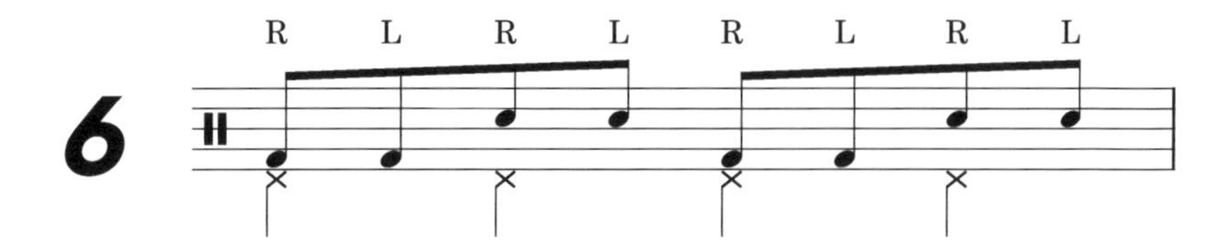
R L R L R L R L
6

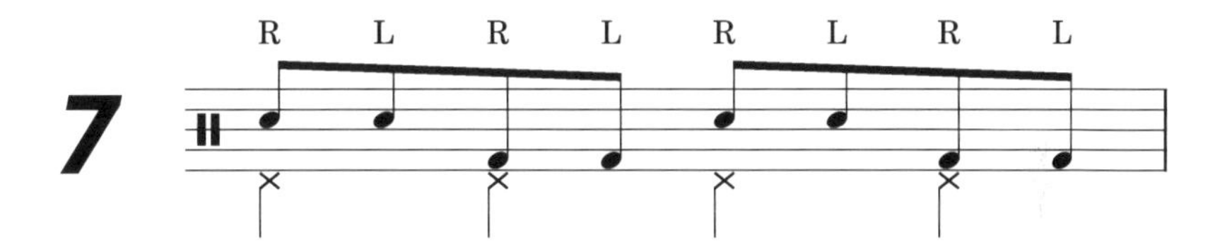
R L R L R L R L
7

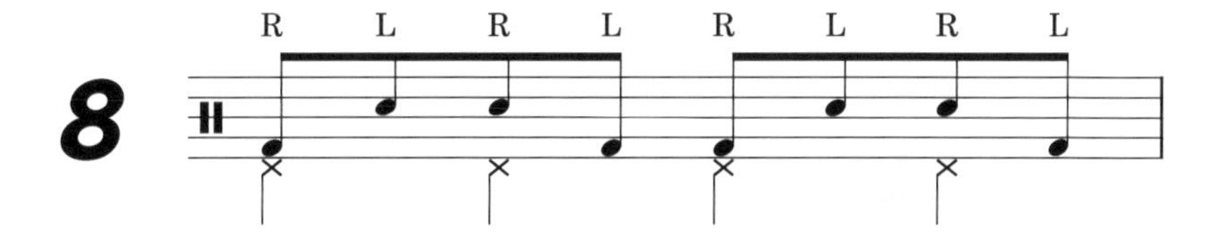
R L R L R L R L
8

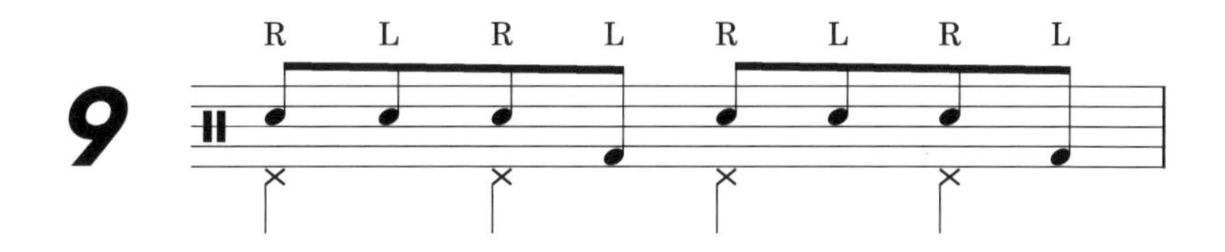
R L R L R L R L
9

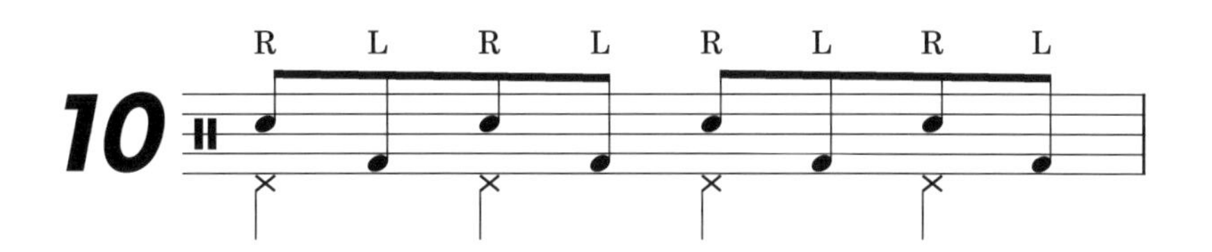
R L R L R L R L
10

Tip. 뮤트 소리가 커지지 않도록 주의 하세요!

♩ = 80

1

R L R L R L R L

2

R L R L R L R L

3

R L R L R L R L

4

R L R L R L R L

5

R L R L R L R L

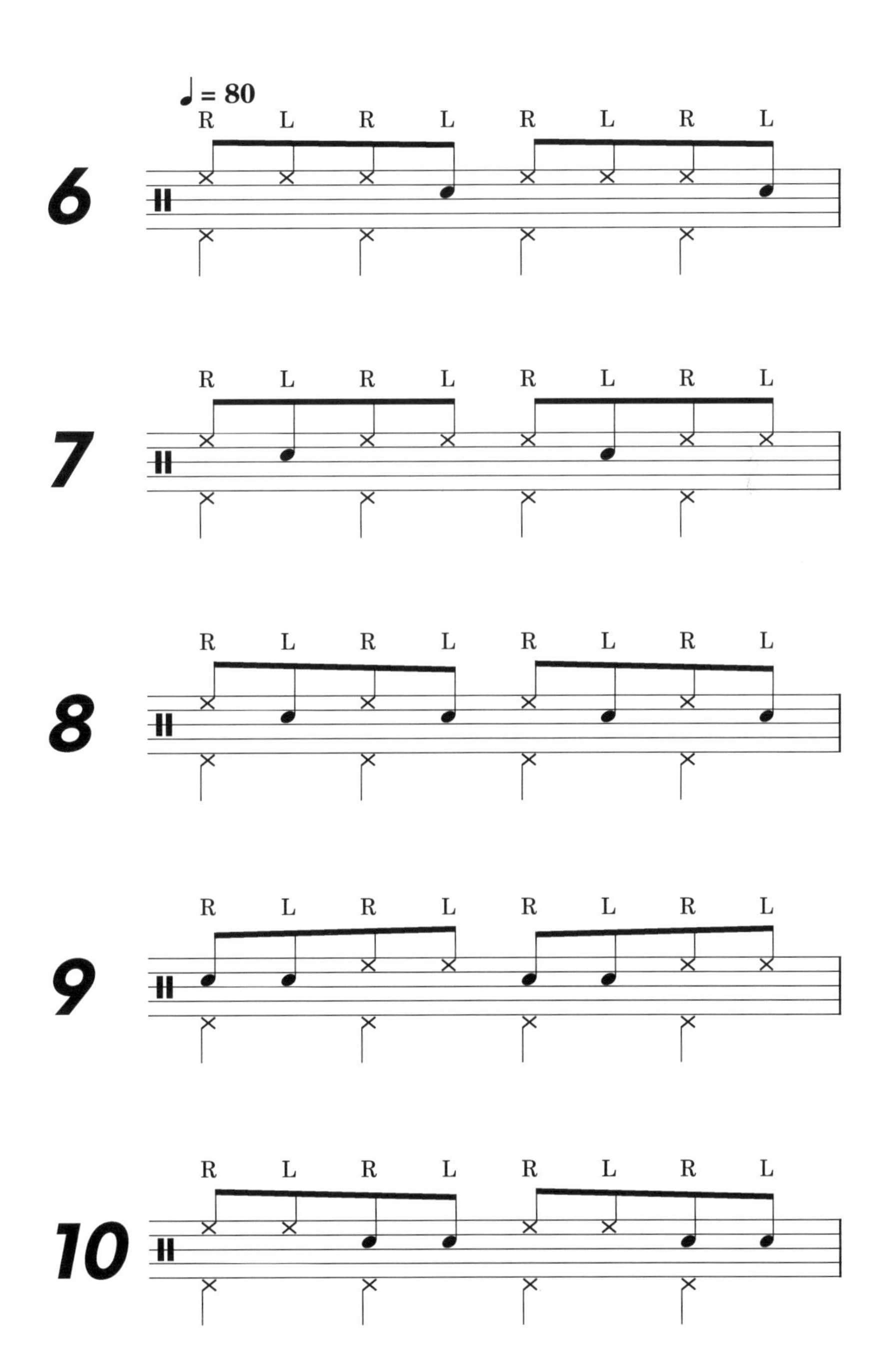
♩= 80
6
R L R L R L R L
7
R L R L R L R L
8
R L R L R L R L
9
R L R L R L R L
10
R L R L R L R L

잠시만

앞의 내용은 리듬을 발전시키기 위한 매우 중요한 연습이므로

아직 이해가 안되시거나 왼발 사용이 어려우시다면

다시 돌아가서 충분하게 연습하시고

다음 리듬을 시작하시기 바랍니다

매트로놈 80~ 100 까지 연습

최소 3일에서 5일까지 충분하게 연습하세요!

카혼
교재

장르별 리듬

3. ROCK(락)

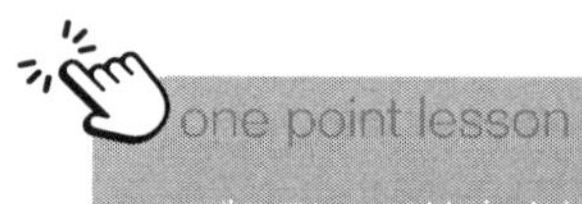

1. 메트로놈 110부터 시작해서 140까지 연습해보세요
2. 왼발을 멈추지 말고 메트로놈에 맞춰 기준을 잡으세요
3. 왼손은 강하게 연주하는 것을 잊지 마세요

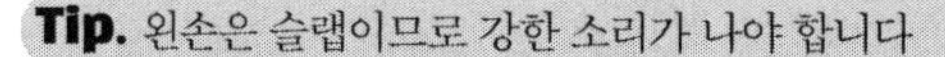

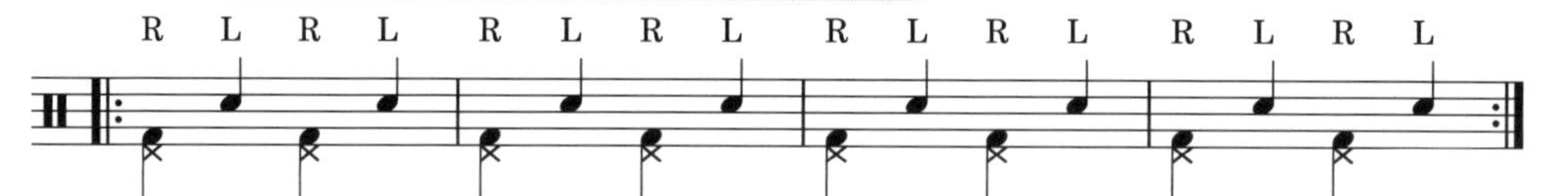

Tip. 음표가 바뀌는 부분을 확인하세요

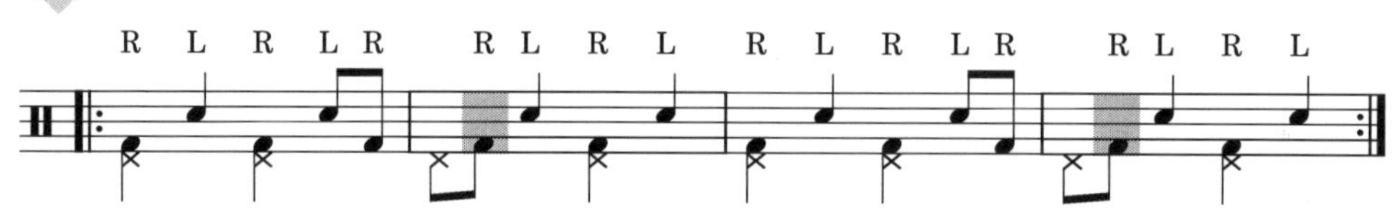

리듬 연습

1
R L R R L R L R R L R L R R L R L R R L

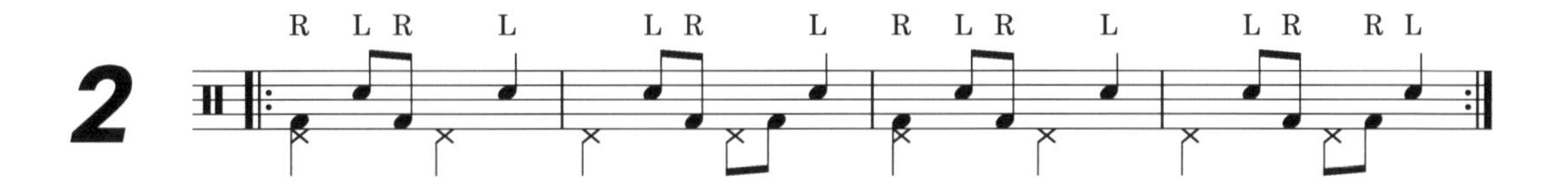
2
R L R L L R L R L R L L R R L

3
R L R L R L R R L R L R L R L R R L

4
R L R L R R L R R L R L R L R R L R R L

노래와 함께 연습해 보세요

Seven

42
46
50
54
58
62
1.
66
70
74
78
82
2.

노래와 함께 연습해 보세요

한 페이지가 될 수 있게

53
57
60
61
65
69
1.
73
77
2
81
2.
85

89
94
3
99
103
106
107
111
115
119
123

유튜브에서 "드럼센터TV" 검색하세요!

난이도

4. Ballad(발라드)

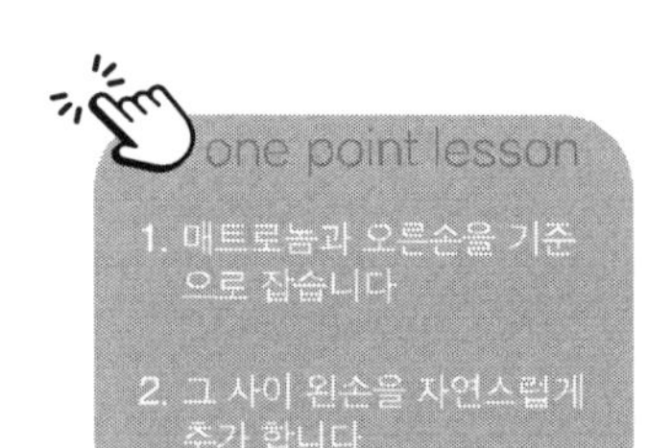
one point lesson
1. 매트로놈과 오른손을 기준으로 잡습니다
2. 그 사이 왼손을 자연스럽게 추가 합니다

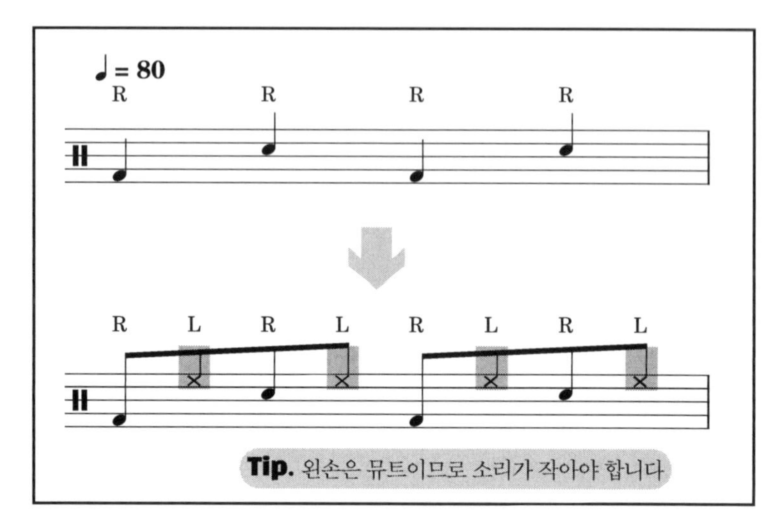
♩= 80
R R R R
R L R L R L R L
Tip. 왼손은 뮤트이므로 소리가 작아야 합니다

1
R L R L R L R L

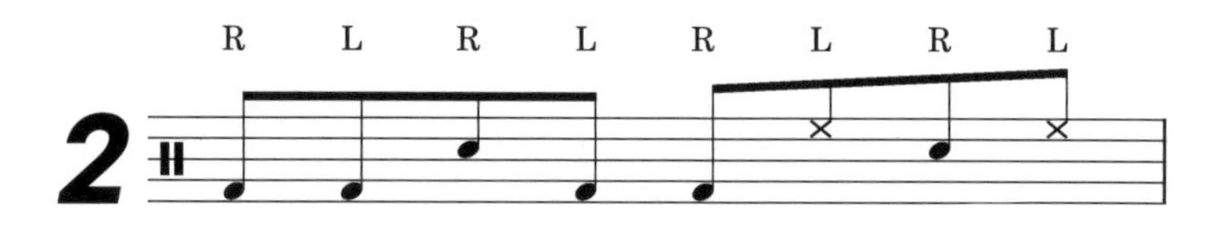
2
R L R L R L R L

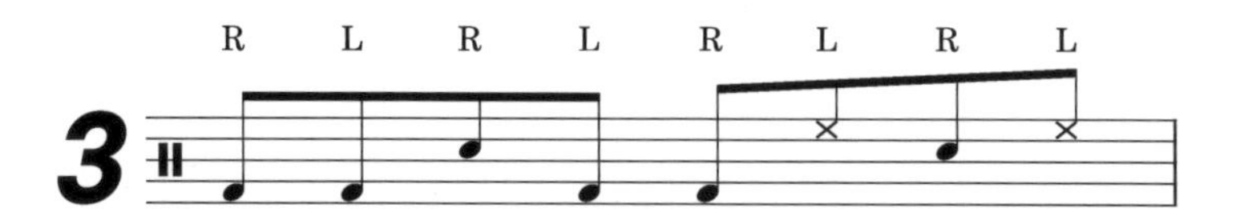
3
R L R L R L R L

4
R L R L R L R L

리듬 연습

1

♩ = 80
R L R L R L R L R L R L R L R L

2

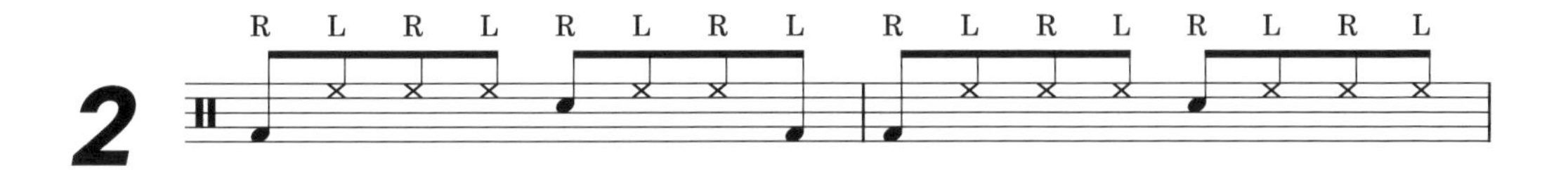
R L R L R L R L R L R L R L R L

3

R L R L R L R L R L R L R L R L

4

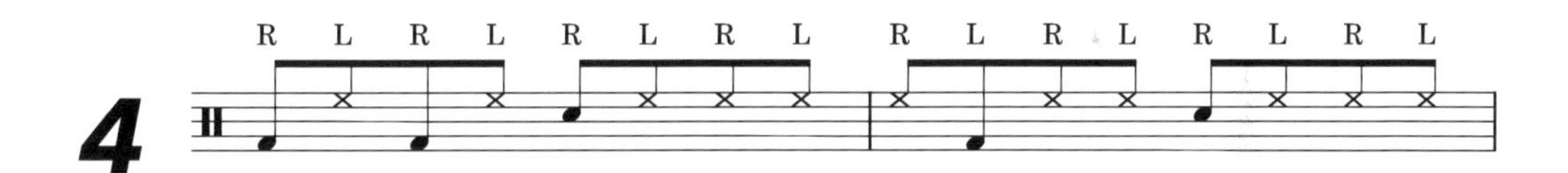
R L R L R L R L R L R L R L R L

5

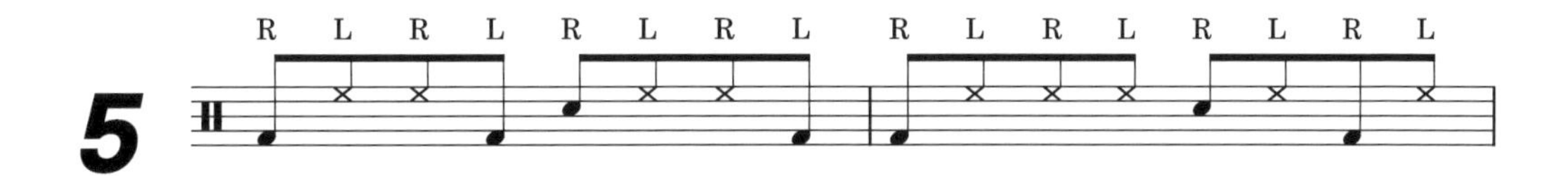
R L R L R L R L R L R L R L R L

6

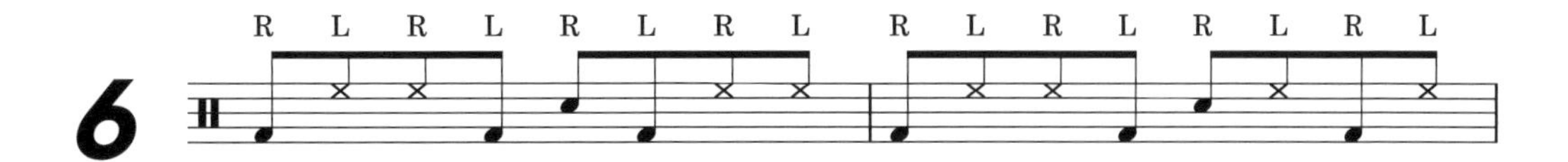
R L R L R L R L R L R L R L R L

헤어지자 말해요

31
34
37
41
45
1
3
50
54
3

음악 속에 유령이 산다

고스트 노트(Ghost note) 직역하면 “유령음” 이라고 합니다 이 이름이 붙여지게 된 이유는 마치 음이 없는 것 처럼 들리기 때문입니다 쉽게말해서 아주 작은 소리로 연주하여 듣는 사람들이 음의 존재를 파악하지 못하게 하는 연주 방법 입니다

그럼 잘 들리지도 않는 음을 왜 연주할까요?

그 이유는 음과 음 사이에 빈공간을 고스트 노트(Ghost note)로 채워 소리의 풍성함과 탄탄한 리듬감을 전달 할 수 있고, 연주하는 사람에게는 쉬는 음표을 없애 더욱더 정확하고 편리하게 리듬을 연주 할 수 있도록 해 줍니다

기호에서는 뮤트를 고스트노트(Ghost note)로 생각해도 무방합니다

고스트노트

Tip. 뮤트는 소리가 작아야 합니다

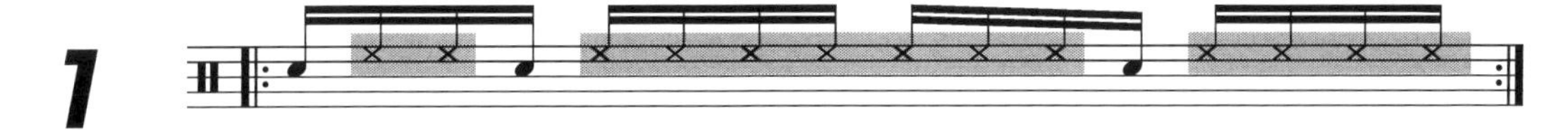

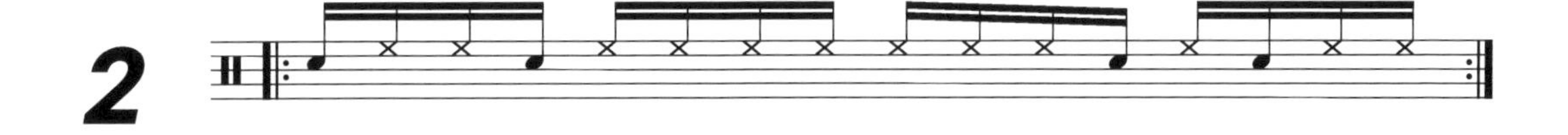

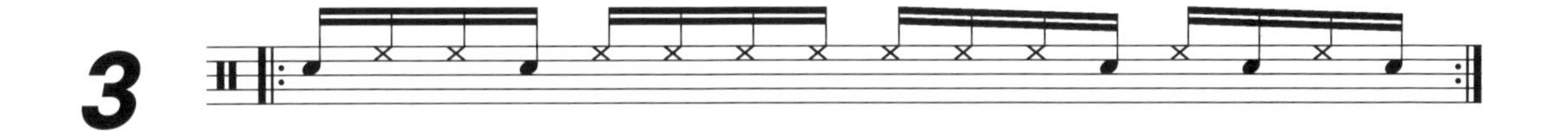

5. Funk(펑크)

Tip. 뮤트는 소리가 작아야 합니다

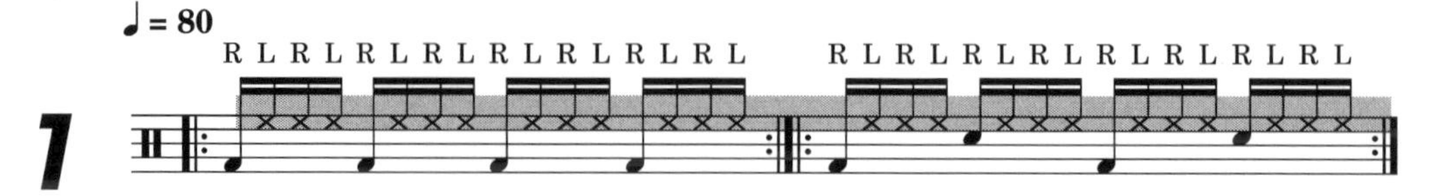

리듬 연습

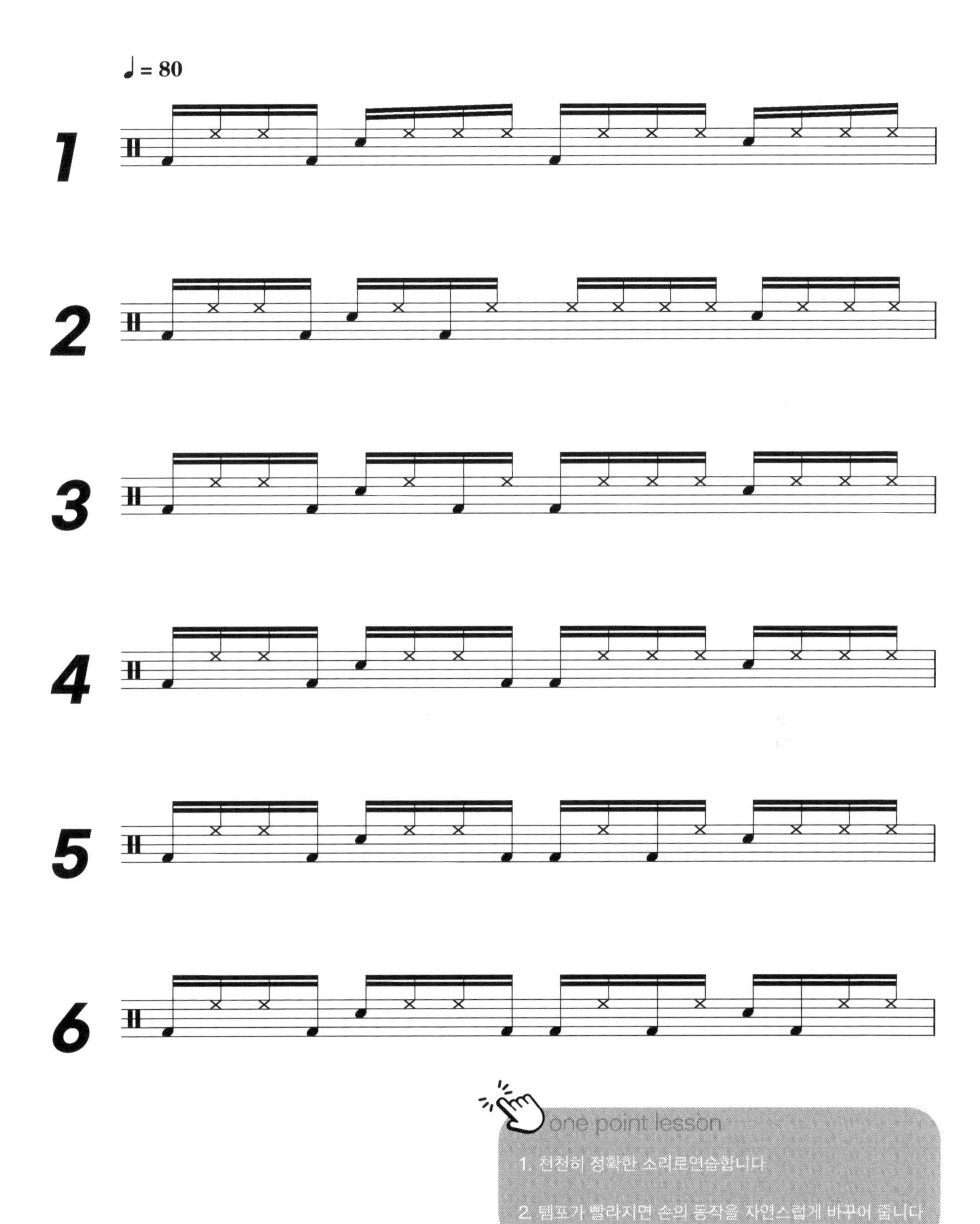

one point lesson

1. 천천히 정확한 소리로연습합니다

2. 템포가 빨라지면 손의 동작을 자연스럽게 바꾸어 줍니다

노래와 함께 연습해 보세요

Drive(feat.죠지)

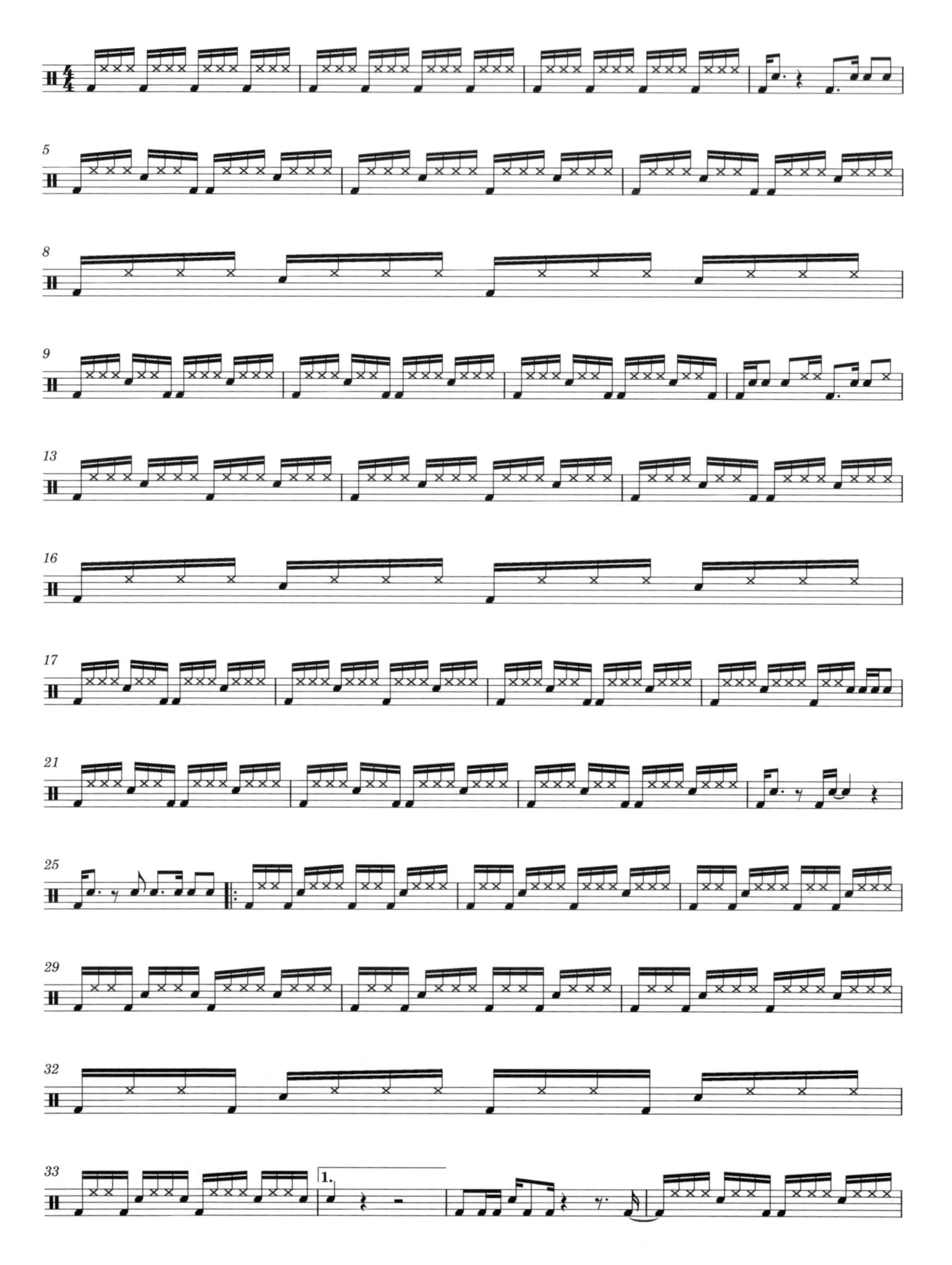

37
40
41
45
2.
49
53
56
57
61
64
65

패러디들을 이용한 리듬만들기

패러디들은 타악기에 있어서 반드시 연습해야하는 리듬 패턴이다

한 손으로 3번이상 연주 하지 않는 조건으로 싱글스트록 더블스트록을 연결해서 연주합니다

스트록을 네개로 묶었을때 시작되는 손이 바뀌므로 주의해서 연습합니다

패러디들을 이용해서 다양한 리듬을 만들수 있습니다

패러디들 (Paradid-

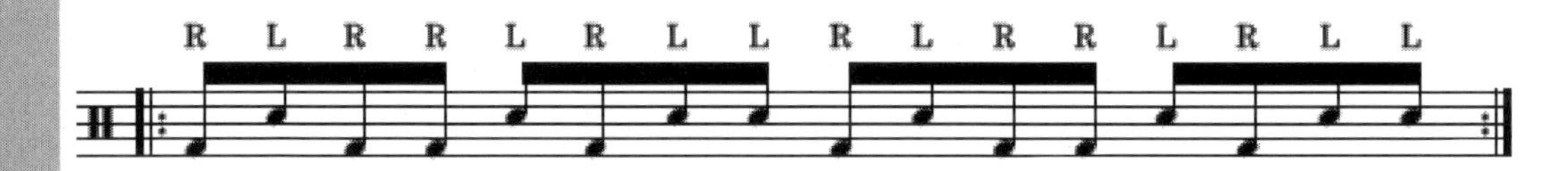

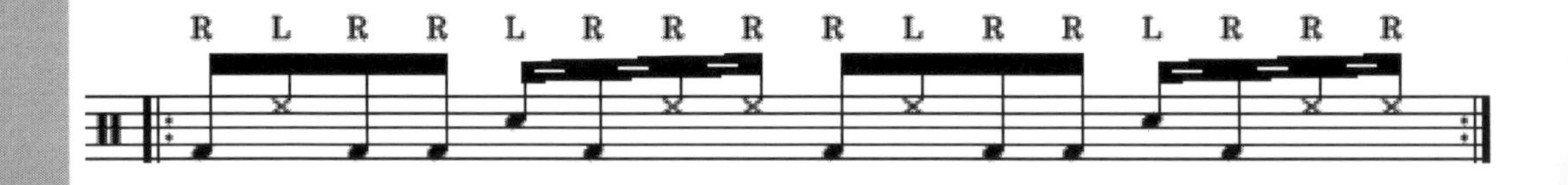

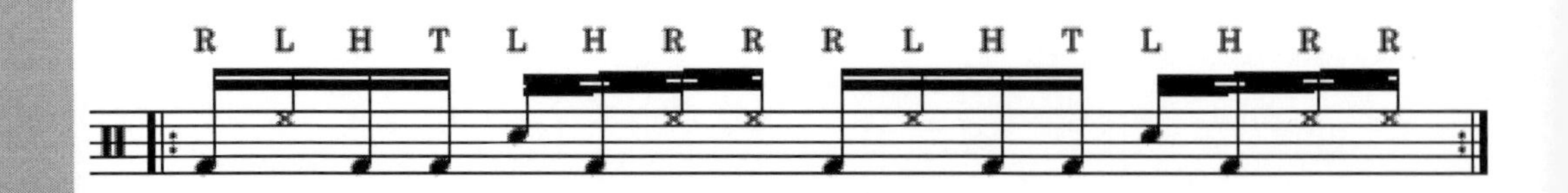

패러디들 (Paradiddle)를 이용한 리듬

이제는 나도 실력 업그레이드

누구나 할 수 있는 거라면
연습안해도 됩니다

6. Funk(펑크) 2

one point lesson

1. 천천히 정확한 소리로연습합니다

2. 템포가 빨라지면 손의 동작을 자연스럽게 바꾸어 줍니다

리듬 연습

1

2

3

4

5

6

7

7. Latin pop(라틴 팝)

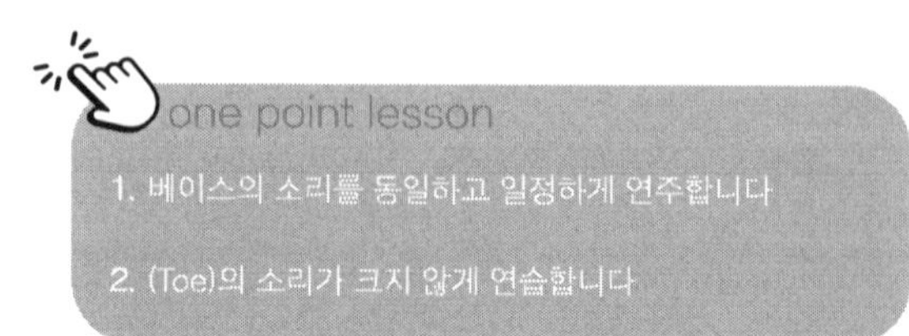

리듬 연습

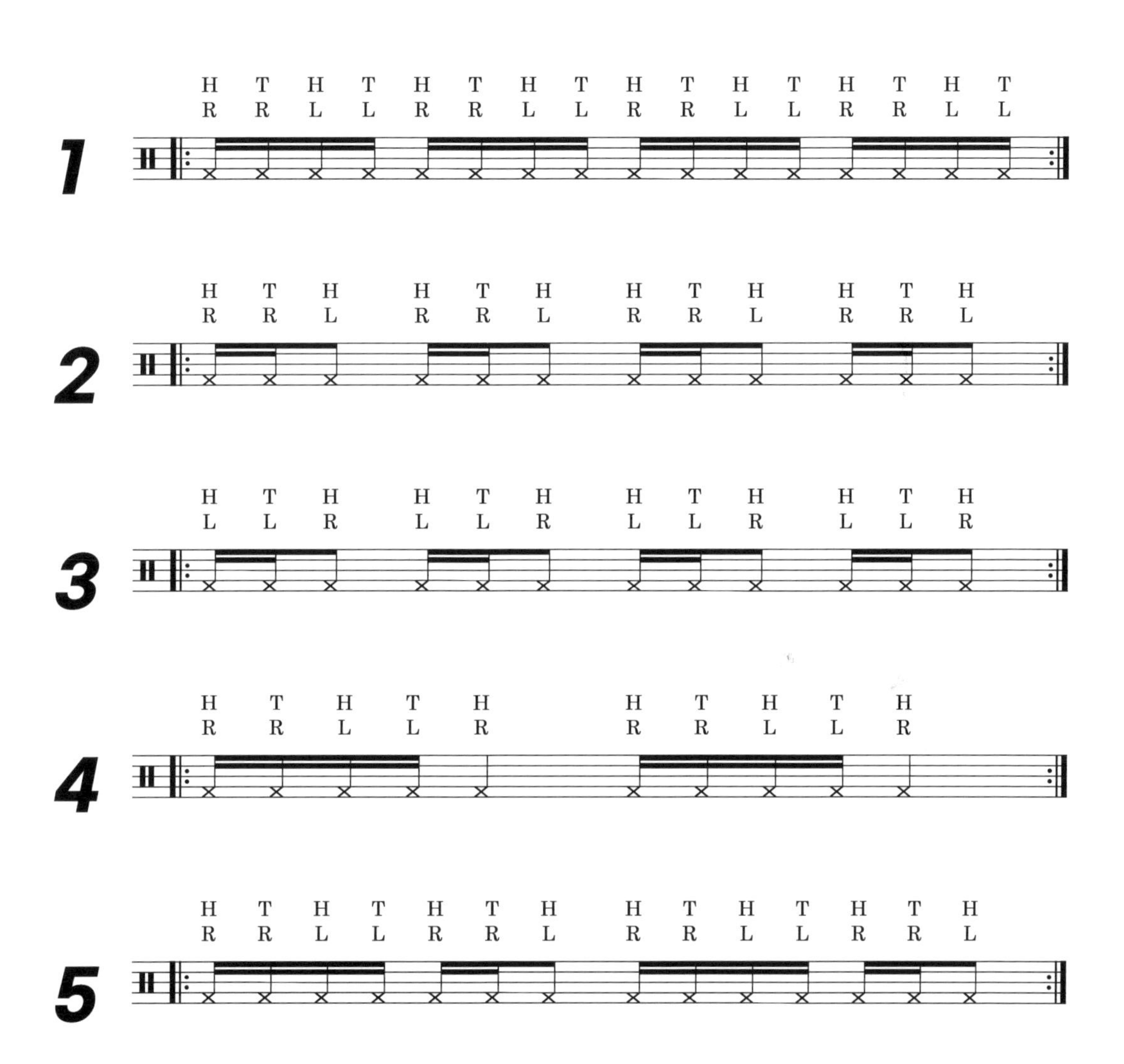
H T H T H T H T H T H T H T H T
R R L L R R L L R R L L R R L L
1
H T H H T H H T H H T H
R R L R R L R R L R R L
2
H T H H T H H T H H T H
L L R L L R L L R L L R
3
H T H T H H T H T H
R R L L R R R L L R
4
H T H T H T H H T H T H T H
R R L L R R L R R L L R R L
5

힐토를 이용한 리듬만들기

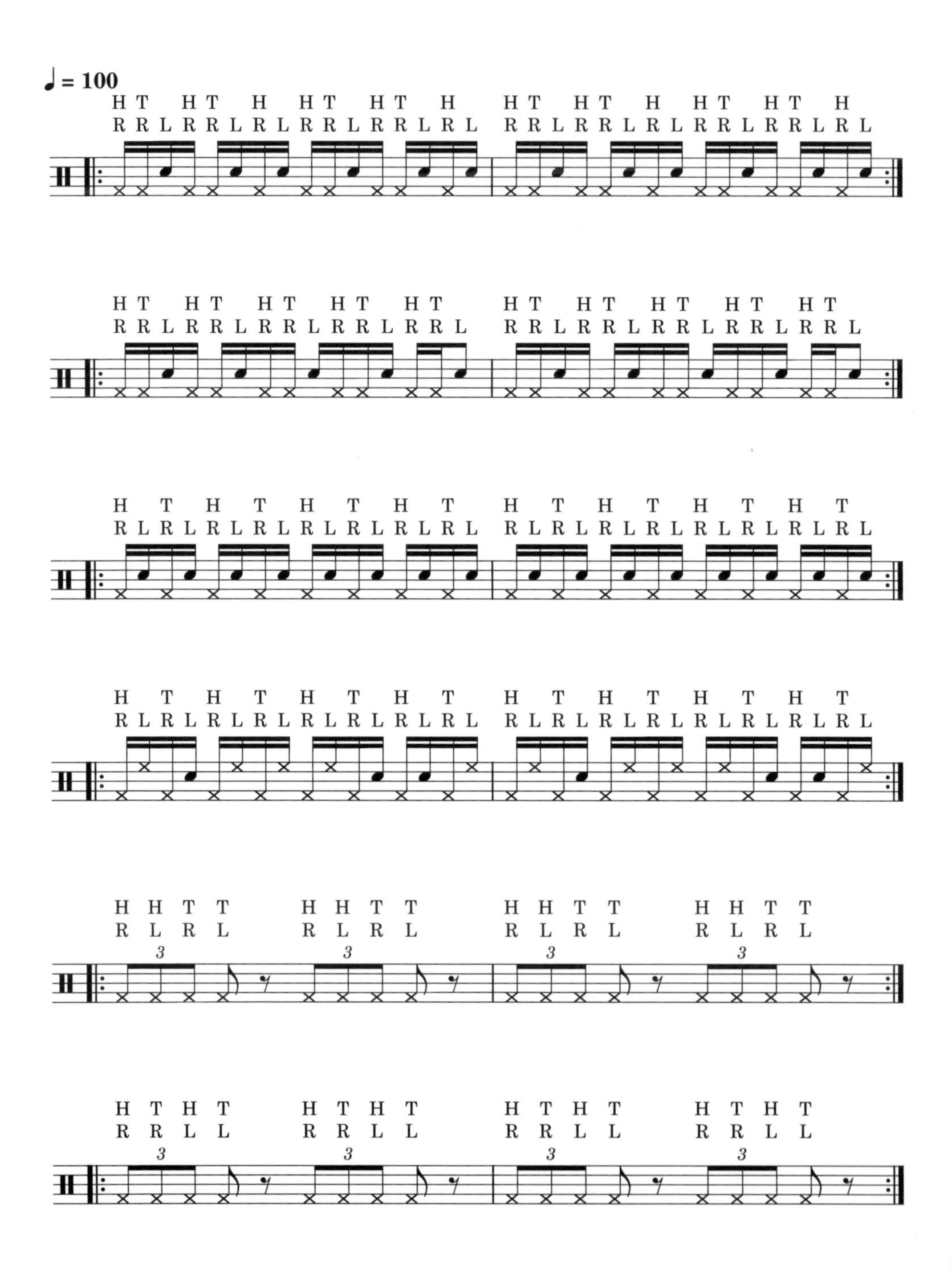

어차피 해야 할 연습
지금 천천히 하나씩 연습하세요
짜증내지 말고

노래와 함께 연습해 보세요

Smart 르세라핌

41
3
45
3
49
3
53
3
57
3
61
65
3
69
3
73
3

8. Bossa nova(보사노바)

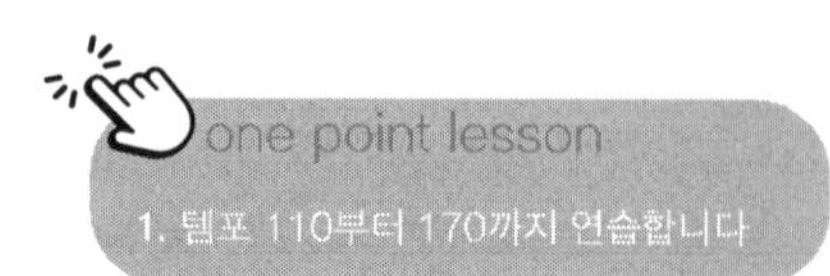

Tip. 세개의 손가락으로 연주합니다(핑거팁 Finger tip)

1

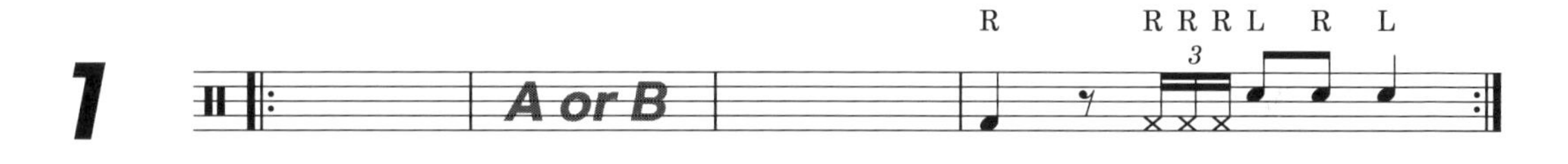

Tip. A 또는 B 리듬 넣어서 연습합니다

2

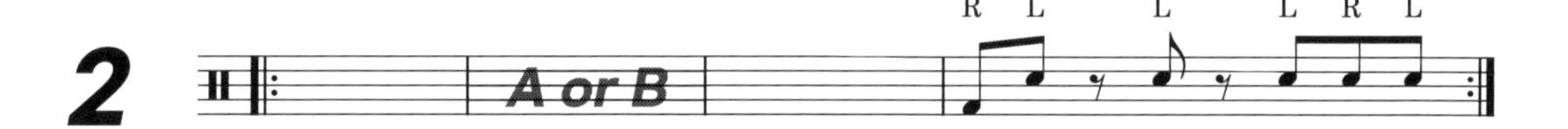

3

4

노래와 함께 연습해 보세요

제주도의 푸른밤

43 R R L R R L R R R L R R L L R 2
47 R R L R R L R R R L R R L L R 2
51 R R L R R L R R R L R R L L R R R L R R L R
55 R R L R R L R R R L R R L L R 2
59 R R L R R L R R R L R R L L R R R L R R L R R R L RRRL R L R 3
63 R R L R R L R R R L R R L L R 2
D.S. al Coda
67 R R L R R L R R R L R R L L R R R L R R L R R R L RRRL R L R 3
71 R R L R R L R R R L R R L L R 2
75 R R L R R L R R R L R R L L R 2
79 R R L R R L R R R L R R L L R 2

카혼교본

발 행 | 2024년 6월 27일

저 자 | 임채성

펴낸이 | 한건희

펴낸곳 | 주식회사 부크크

출판사등록 | 2014.07.15.(제2014-16호)

주 소 | 서울특별시 금천구 가산디지털1로 119 SK트윈타워 A동 305호

전 화 | 1670-8316

이메일 | info@bookk.co.kr

ISBN | 979-11-410-9148-4

www.bookk.co.kr